Reading & Interpretation
大家写小书·马恩经典著作新读

丛书主编 顾保国

劳动的解放

《哥达纲领批判》新读

陈培永 著

红旗出版社

红旗出版社
HONGQI PRESS
推动进步的力量

图书在版编目(CIP)数据

劳动的解放 :《哥达纲领批判》新读 / 陈培永著. —
北京 : 红旗出版社,2020.1 (2021.4重印)
(大家写小书 / 顾保国主编. 马恩经典著作新读)
ISBN 978-7-5051-5015-7

Ⅰ.①劳… Ⅱ.①陈… Ⅲ.①哥达纲领批判－马克思著作研究 Ⅳ.①A811.24

中国版本图书馆CIP数据核字(2019)第253028号

书　　名　劳动的解放
　　　　　《哥达纲领批判》新读
著　　者　陈培永

责任编辑　吴琴峰　　　丛书统筹　丁　鋆
责任印务　金　硕　　　特约编审　希　言
装帧设计　戴　影
出版发行　红旗出版社
地　　址　北京市沙滩北街2号　　　邮政编码　100727
　　　　　杭州市体育场路178号　　邮政编码　310039
编 辑 部　0571-85310467
E - mail　359489398@qq.com　　　发 行 部　0571-85311330
图文排版　杭州兴邦电子印务有限公司
印　　刷　浙江全能工艺美术印刷有限公司
开　　本　889毫米×1194毫米　1/32
字　　数　57千字　　　印　　张　2.75
版　　次　2020年1月第1版　　　印　　次　2021年4月第3次印刷
ISBN 978-7-5051-5015-7　　　定　　价　20.00元

欢迎品牌畅销图书项目合作　　联系电话:0571-85311330

从经典著作中汲取斗争智慧

（丛书序）

习近平总书记在2019年秋季学期中央党校（国家行政学院）中青年干部培训班开班式上发表重要讲话时指出，“斗争精神、斗争本领，不是与生俱来的。领导干部要经受严格的思想淬炼、政治历练、实践锻炼，在复杂严峻的斗争中经风雨、见世面、壮筋骨，真正锻炼成为烈火真金。要学懂弄通做实党的创新理论，掌握马克思主义立场观点方法，夯实敢于斗争、善于斗争的思想根基，理论上清醒，政治上才能坚定，斗争起来才有底气、才有力量”。

经典著作体现了马克思主义立场观点方法，不仅包含着明确的问题意识、经典的分析方法，而且包含着斗争精神。这种斗争精神既体现了事物本身的复杂性，也体现了人类智慧的深刻性。虽然马克思主义诞生在一个半世纪之前，但迄今依然有着强大的生命力，被历史和现实一再证明是科学的理论，这其中一个重要原因就在于其科学的理论思维和强大的斗争精神。马克思主义经典著作是经典作家探索真理的丰富思想结晶，彰显了马克思主义经典作家坚定的政治立场、政治信仰和献身共产主义事业的政治品格和伟大的斗争精神。习近平总书记在纪念马克思诞辰200周年大会上的讲话中指出：“共产党人要把读马克思主义经典、悟马克思主义原理当作一种生活习惯、当作一种精神追求，用经典涵养正气、淬炼思想、升华境界、指导实践。”这就要求我们，提高学习马克思主义理论的能力，学思践悟，做马克思主义的信奉者、继承者、实践者和发展者。当严峻形势和斗争任务摆在面前时，骨头要硬，要敢于出击，敢战能胜。

近年来，马克思主义经典阅读热潮悄然兴起，再次凸显马克思主义经典著作编译的重要意义和时代价值。习近平总书记在中央政治局第五次集体学习时指出：“要深化经典著作研究阐释，推进经典著作宣传普及，让理论为亿万人民所了解所接受，画出最大的思想同心圆。”准确理解习近平总书记这一重要论述，需要我们深刻把握研究、阐释经典著作的时代要求，进一步加强经典著作宣传普及，使广大人民群众更深刻地感悟马克思主义的真理力量和斗争精神。

恩格斯曾说：“一个民族要想站在科学的最高峰，就一刻也不能没有理论思维。”理论思维能力不是天生的，而是后天培养和训练出来的。马克思主义经典著作是人类思想的精华，它深刻揭示了自然界、人类社会、人类思维发展的普遍规律。习近平总书记在2011年中央党校春季学期第二批入学学员开学典礼上强调，“阅读经典著作，本身就是增长知识、开阔眼界、增加思想深度和训练思维方式的过程，就是培养高瞻远瞩的战略洞察力和脚踏实地的工作作风的过程”。广大党员干部要提高斗争能力，必须高度重视通过学习马克思主义经典著作来提高自己的理论思维能力。

当今世界正处于百年未有之大变局，我们党领导的伟大斗争、伟大工程、伟大事业、伟大梦想正在如火如荼地进行，改革发展稳定任务艰巨繁重，我们面临着难得的历史机遇，也面临着一系列重大风险考验。各级领导干部要想在这些风险、困难和挑战面前赢得优势、赢得主动、赢得未来，就必须坚定马克思主义信仰和共产主义理想，不断提高运用马克思主义分析和解决实际问题的能力，不断提高运用科学理论指导我们应对重大挑战、抵御重大风险、克服重大阻力、化解重大矛盾、解决重大问题的能力，以更宽广的视野、更长远的眼光来思考把握未来发展面临的一系列重大问题，这就迫切要求领导干部自觉增强学习和运用马克思主义的本领，掌握马克思主义的斗争精神。广大党员干部特别是领导干部要学好用好《共产党宣言》等马克思主义经典著作，坚持学以致用、用以促学，原原本本学，熟读精思、学深悟透，熟练掌握马克思主义立场观点方法，不断提高马克思主义理论素养。因此，我们要系统掌握和努力实践马克思主义理论，真正把马克思主义这个看家本领学精悟透运用好，提升自己的斗争能力，并推动马克思主义不断发展。

提高把思想理论转化为实践的斗争能力，画出最大的思想同心圆，是坚持和发展马克思主义的现实要求，也是实现中华民族伟大复兴这一中国梦的思想基础。马克思主义经典著作卷帙浩繁，对于广大干部、群众来说，学习要突出重点。我们提倡读马列经典著作，并不是一定要求每位干部去全面读《马克思恩格斯全集》《列宁全集》或《马克思恩格斯文集》《列宁专题文集》。学马列要精，要管用。“精”，是指要读经典著作，经典篇目；“管用”，就是要结合具体、实际工作，有针对性、有目的地学以致用。例如，从总体上把握马克思主义，需要读

《马克思主义的三个来源和三个组成部分》;掌握无产阶级的革命理论,要读《共产党宣言》;了解马克思主义哲学世界观,要读《哲学笔记》《唯物主义和经验批判主义》《反杜林论》《路德维希·费尔巴哈和德国古典哲学的终结》;掌握马克思主义政治经济学,要读《政治经济学批判》《资本论》等。因此,我们第一辑选择了十本原著,组织国内有关院校的权威专家撰写导读,并由红旗出版社公开出版这批学习马克思主义经典著作的权威性辅导教材。

马克思主义是认识世界、改造世界的强大思想武器。在人类思想史上,没有一种思想理论像马克思主义那样对人类产生了如此广泛而深远的影响。原原本本学习和研读马克思主义经典著作,不断深化对共产党执政规律、社会主义建设规律、人类社会发展规律的认识,不断提升思想水平和斗争能力,真正把马克思主义这个看家本领学精悟透运用好,我们就能更有定力、更有自信、更有智慧,在习近平新时代中国特色社会主义思想指导下,实现"两个一百年"奋斗目标,确保中华民族伟大复兴的巨轮始终沿着正确航向破浪前行,胜利驶向光辉的彼岸。

红旗文稿杂志社社长 顾保国

2019年11月

目　录

前　言

以劳动的名义

人类社会离不开劳动，劳动对于人类社会的意义和价值怎么高估都不过分。但在中西方思想史上，关注劳动问题、把劳动作为核心概念进行研究的思想家并不多，马克思无疑是不多见的最重要的一位。如果在此使用“之一”，对马克思都是不尊重的。

可惜的是，马克思并没有写出一本以劳动为主角、系统阐述劳动问题的著作，在他所生活的时代，资本的光芒遮蔽了劳动的力量，促使马克思将大部分时间把资本这一对手作为其作品的主角。马克思用更多精力写作的是“资本论”，而没有机会写出“劳动论”。

这无疑是一个遗憾。而更加遗憾的是，在之后中西方马克思主义学者的著述中，劳动始终没有得到应有的理论重视。即使到了今天，虽然我们始终强调尊重劳动，在每年一度的劳动节都会重复“劳动光荣”的口号，都会被尽职尽责的、兢兢业业的劳动者的“工匠精神”所感动，但对劳动的研究一直没能成为“显学”。

今天，我们应该如何深度谈论劳动的问题？如何讲好劳动的理论故事？

走进《哥达纲领批判》，我们会发现，它以劳动问题为主线，关涉平等、公平问题，关涉资本主义社会、共产主义社会问题，关涉自由、民主问题，关涉国家职能转变及国家未来走向等问题，恰是一部以劳动为核心的政治哲学著作，是一部集中系统展示马克思主义劳动理论的作品，是我们深度思考劳动问题可资借鉴的不可多得的经典文献。

要说明的是，与马克思的很多作品都以批判为名一样，《哥达纲领批判》也是一部批判的作品。这种批判与马克思、恩格斯在批判旧世界中对新世界的追求是一致的，也与他们对社会主义理论科学化的追求是一致的。他们不仅要批判他们生活于其中的资本主义社会，也要批判为这种社会进行辩护的各种理论学说，还要批判那些好像在批判资本主义却陷入空想、反动、错误的所谓社会主义或共产主义学说。

读一部批判性的作品，好处是有助于我们看到不同思想家面对同样问题的不同观点，能够在比较中见证伟大思想家的过人之处。就像一位高手展示自己的武功，我们不一定能够说出他的武功高在哪里；读一位思想家的艰深文本，我们也不一定能够读出他的观点好在哪里。在两个高手相互切磋的过程中，我们会容易发现真正的高手高在哪里；在两个思想家的观点对决中，我们可以充分见证伟大思想家的思想魅力。

但批判性作品的缺陷在于它往往不成系统，批判者要跟着对手的思路走，他不能在批判的时候，把对象放在一边，自顾自地讲自己的理论。马克思在批判的过程中阐述自己的观点，决定了他很难做到系统呈现某个方面的观点，在一些地方只能点到即止。这种“美中不足”，需要我们弥补，需要我们把握劳动解放、人的解放的主线索，进行创构性地解读。

Reading & Interpretation
大家写小书·马恩经典著作新读

第一章
对“会使党精神堕落的纲领”的批判

在马克思众多的作品中，有一部分本来是为回应当时问题所写的“应时之作”，但最终成为超越那个时代的经典之作，《哥达纲领批判》(Kritik Des Gothaer Programms)就是其中一部。它是马克思为批驳当时存在严重问题的《德国工人党纲领》所写的文章，但在之后的马克思主义发展史和国际共产主义运动史上起到了重要作用。即使时至今日，对于我们思考当今时代的劳动解放、公平正义、共产主义、国家职能等问题依然有借鉴意义。

一、迫不得已、不得不写的“应时之作”

写作《哥达纲领批判》时的马克思不仅工作繁忙，还深受病痛的折磨，但他还是远远超过医生给他限定的工作量，奋力写作。按他的话说，写这么长的东西“决不是一种‘享受’”[①]。那么，是什么事情、什么原因让马克思宁可牺牲身体的健康也要专门抽出时间来写这部作品呢?

事发于1875年2月，当时德国的两个工人政党组织——社会民主工党和全德工人联合会在哥达召开了合并预备会议，拟定了合并纲领草案——《德国工人党纲领》(也称“哥达纲领”)，并于1875年3月7日发表在两派各自的机关报《人民国家报》和《新社会民主党人报》上。如果没有这两个政党组织的合并，没有其拟定并发表的合并纲领，也就没有马克思的《哥达纲领批判》。

德国社会民主工党，正式成立于1869年的社会民主主义

①《马克思恩格斯选集》第3卷，北京：人民出版社，2012年，第354页。

者全德代表大会上。该大会在德国爱森纳赫城举行，所以该党也称为爱森纳赫党或爱森纳赫派，其领导人有德国社会民主党代表人物奥古斯特·倍倍尔、卡尔·李卜克内西、威廉·白拉克等人，他们得到了马克思、恩格斯在理论方面的许多指导和帮助。全德工人联合会于1863年5月成立，成立时的联合会主席是当时在德国工人运动中有很大影响力的拉萨尔。1864年，拉萨尔在与他人的决斗中受重伤去世，之后，其忠实信徒施韦泽、哈森克莱维尔等人先后领导该联合会，继续推行着拉萨尔的路线。因该派深受拉萨尔的影响，也被称为拉萨尔派。

虽然两派都是德国工人政党组织，但在立场、路线、主张等方面有很大差异，长期以来无法实现合作，而严峻的斗争形势使双方越来越意识到了合并的紧迫性。1872年9月，爱森纳赫派通过决议，要求同拉萨尔派进行原则上的合作，拉萨尔派则明确表示反对。1874年2月，爱森纳赫派的建议再次遭到拒绝，同年7月，合作的声明同样没有得到拉萨尔派的回应。直至外部困境的加深和内部矛盾的不断激化，拉萨尔派领导人才不得不谋求和解。

对于两派的合并与德国工人运动的统一，马克思、恩格斯是支持的，认为这对于工人运动的发展是必要的，但必须警惕拉萨尔派的观点的渗透，决不能拿原则做交易，但李卜克内西等人并未听从其建议，反而在纲领草案中接受了拉萨尔主义的信条。

知识链接

★ 拉萨尔主义 ★

拉萨尔主义是以斐迪南·拉萨尔的学说为基础形成的理论。19世纪60年代初，拉萨尔凭借《工人纲领——论目前历史时期同工人等级的观念的特殊关系》(1862年)、《公开答复》(1863年)等文章在德国工人群众中赢得了很大的声誉。拉萨尔鼓吹“铁的工资规律说”，认为在劳动的供求的支配之下，平均工资始终停留在一国人民为维持生存和繁殖后代按照习惯所要求的必要的生活水平上；实际日工资总是在它周围摆动，既不能长久地高于它，也不能长久地低于它。拉萨尔主义者还鼓吹要通过国家帮助建立生产合作社来消除社会弊病、实现无产阶级解放。

看到这个纲领草案，马克思和恩格斯都“吃惊不小”。恩格斯为此在1875年3月18至28日期间专门给倍倍尔写了一封信，批评了纲领草案对拉萨尔派的无原则妥协让步，指出爱森纳赫派多次向拉萨尔派伸出手来都遭到无礼拒绝，现在他们自己跑来表示和解，已经充分说明他们已经陷入极端困难的境地了，应该利用这个合并的机会促使其放弃宗派口号和他们所主张的“国家帮助”，“合并的第一个条件是，他们不再做宗派主义者，不再做拉萨尔派”[①]。对这个受到拉萨尔主义影响的纲领，恩格斯甚至指出：“在这个连文字也写得干瘪无力的纲领中差不多每一个字都应当加以批判。它是这样一种纲领，一旦它被通过，马克思和我永远不会承认建立在这种基

①《马克思恩格斯选集》第3卷，北京：人民出版社，2012年，第345页。

础上的新党……”[①]

马克思则于1875年4月至5月间写了对纲领的批判性批注，即《德国工人党纲领批注》，对纲领草案的关键条文逐一作了摘抄和批驳。这个批注和恩格斯所写的《给奥·倍倍尔的信》的内容在很多方面有着惊人的相似，由此可以证明两人在批判拉萨尔主义上所持的共同立场和观点。

另外，马克思还专门于5月5日给白拉克写了一封信，请他把自己所写的手稿转给党内其他领导人阅读。“德国工人党纲领批注”和“给威廉·白拉克的信”这两部分，共同构成了我们今天所看到的《哥达纲领批判》。在信中，马克思表达了与恩格斯同样的立场，指出“我的义务也不容许我哪怕用外交式的沉默来承认一个我认为极其糟糕的、会使党精神堕落的纲领”[②]，“撇开把拉萨尔的信条奉为神圣这一点不谈，这个纲领也是完全要不得的”[③]。

马克思、恩格斯之所以如此重视此事，是因为他们深知纲领对于一个政党的重要价值，“一步实际运动比一打纲领更重要”，但“制定一个原则性纲领……这就是在全世界面前树立起可供人们用来衡量党的运动水平的里程碑”[④]，“一个政党的正式纲领没有它的实际行动那样重要。但是，一个新的纲领毕竟总是一面公开树立起来的旗帜，而外界就根据它来判断这个党”[⑤]。

然而李卜克内西并未改变原意，纲领草案的文字被他略

①《马克思恩格斯选集》第3卷，北京：人民出版社，2012年，第349页。

②③④《马克思恩格斯选集》第3卷，北京：人民出版社，2012年，第355页。

⑤《马克思恩格斯选集》第3卷，北京：人民出版社，2012年，第350页。

加修改，就于1875年5月22—27日在哥达举行的合并大会上通过。

出于种种原因，《哥达纲领批判》并没有在马克思生前公开发表，它的首次公开面世已经是该纲领通过15年后的事情了。1890年10月，德国社会主义工人党在哈雷召开大会，根据李卜克内西的提议，决定起草一个新的纲领草案，这就把关于哥达纲领的讨论提到了议事日程。

恩格斯认为，马克思所写的《哥达纲领批判》是有关这次讨论“重要的——也许是最重要的——文件”①，如果再不发表，他就要犯“隐匿罪”了。于是他克服了重重阻力，在考茨基的协助下，于1891年1月将其发表在德国社会民主党理论刊物《新时代》杂志上。恩格斯还专门为之写了序言，阐明了发表的目的和意义。《哥达纲领批判》一经发表，德国、奥地利、丹麦、捷克等国众多的社会主义报刊和工人报刊迅速转载，马克思的这篇批注所阐释的一系列马克思主义的观点、立场和方法，引起了广泛的社会关注。

二、不仅仅是“拯救了自己的灵魂”的作品

在《哥达纲领批判》的结尾，马克思写道：“我已经说了，我已经拯救了自己的灵魂。”②拯救自己灵魂的说法，表明了马克思写作的直接动因，但我们应该都知道，没有高度的责任感和使命感，马克思不会写出如此犀利的批判文字。他可能不会想到，一部批判纲领的批判性文献，一部根本没有想到要公开

①《马克思恩格斯选集》第3卷，北京：人民出版社，2012年，第352页。

②《马克思恩格斯选集》第3卷，北京：人民出版社，2012年，第378页。

发表的作品，却在之后的马克思主义发展史、社会主义社会发展进程中产生了重要影响。马克思不仅用这部批判纲领的文献拯救了自己的灵魂，还留下了宝贵的精神财富。

《哥达纲领批判》可以说是研究马克思主义的必读文献。俄国十月革命前夕，列宁写了《国家与革命》，大段地引用了《哥达纲领批判》中的论述，对马克思关于无产阶级专政、过渡时期、共产主义社会发展阶段的论述表示了高度认同，并进行了更为系统、更为细致的解读和阐释。《国家与革命》本身就是一部经典著作，它无疑是对《哥达纲领批判》直接的继承和发展。

知识链接

★《国家与革命》★

为了撰写关于马克思主义对国家态度问题的著作，列宁于1916年秋和1917年初在苏黎世精心研究了马克思和恩格斯的国家学说，并把收集到的材料汇集成了一本笔记，取名为《马克思主义论国家》。因笔记本封面为蓝色，通称“蓝色笔记”。因之后忙于革命实际工作，直到1917年6月，匿居在拉兹利夫的列宁才开始《国家与革命》的写作，最终将其于1918年5月在彼得格勒出版。列宁在这部著作中阐发了马克思在《哥达纲领批判》中提出的关于共产主义社会分为第一阶段和高级阶段的学说，论述了这两个阶段的基本特征，指明它们是共产主义在经济上成熟程度不同的两个阶段，并把共产主义社会第一阶段称为社会主义。

新中国成立后，毛泽东深刻认识到《哥达纲领批判》的价值，至少有三次谈到或要求党的领导干部要认真学习此书。1959年，在读《苏联政治经济学》教科书的谈话中，他提到《哥达纲领批判》中提出的过渡时期，并指出我们“要好好研究”；1964年，在毛泽东审定的供党的高级干部学习的30部经典著作中，马克思、恩格斯的著作占了11部，其中就有《哥达纲领批判》；1970年，毛泽东又从这30部经典著作中选出9部要求党的高级干部学习，其中仍有《哥达纲领批判》[①]。由此可见，《哥达纲领批判》是毛泽东心中的必读经典著作。

《哥达纲领批判》中的一些论断，为社会主义国家的建设提供了理论指导，甚至直接产生了实际作用。列宁对社会主义和共产主义给出了明确界定，毛泽东将社会主义社会划分为不发达的社会主义阶段和比较发达的社会主义阶段。中国改革开放后形成的社会主义初级阶段理论，可以说是对《哥达纲领批判》中社会发展阶段理论的继承和发展。马克思确立的共产主义社会第一阶段实行按劳分配原则，成为社会主义国家在分配领域的基本原则，按需分配原则也成为理解未来共产主义社会的一个重要方面。

《哥达纲领批判》不是只讲理论的文本，也是非常注重实践的文本。马克思探讨了当时关于工人运动的一些具体主张，回顾之后的国际共产主义运动史就能够看到它们所起到的作用。这些主张包括：

其一，要明确革命的对象和值得依靠的革命力量，要看到资产阶级作为大工业的体现者，相对于封建主来说，是革命的

① 严书翰：《如何把握和理解〈哥达纲领批判〉》，《毛泽东研究》2017年第5期。

阶级。而无产阶级是在大工业基地上成长起来的，相对于资产阶级来说是革命的阶级，其他中间等级因其加入无产阶级阵营中也可以成为革命的阶级，不能用“反动的一帮”将他们划分到敌对的阵营中。

其二，要坚持工人运动的国际性原则，注重在本国阶级斗争基础上的国际联合。马克思反对从狭隘的民族观点来理解工人运动，认为工人斗争的直接舞台是本国，工人必须在国内首先作为阶级被组织起来。但在资本主义生产方式下，每个国家在经济上“处在世界市场的范围内”，在政治上“处在国家体系的范围内”，所以各国工人阶级应该团结一致。

其三，关涉更为具体的主张，比如，应该明确正常工作日是多少时间；禁止儿童劳动应该明确儿童的年龄界限；明确工厂视察员的要求和责任；让一般犯人有机会从事劳动，有改过自新的机会，不能受到牲畜一样的待遇；在工厂立法中应该明确卫生设施和安全措施部分……

恩格斯还讲到了工会的问题，指出“工会是无产阶级的真正的阶级组织，无产阶级靠这种组织和资本进行日常的斗争，使自己受到训练”[①]，在纲领里应该提到工会这种组织，并在党的组织中给它一个位置。

三、可以被新时代“激活”的文本

经典文本之所以能成为经典，一个很重要的原因是它会被时代一次又一次激活，从而被挖掘出新的价值。《哥达纲领

①《马克思恩格斯选集》第3卷，北京：人民出版社，2012年，第348页。

批判》不仅在它公开发表之后的历史时期即产生了深远影响，而且在今天也具有现实意义。立足当代中国的社会现实，重读《哥达纲领批判》，依然能获得许多新的启迪。

其一，《哥达纲领批判》有助于我们深度思考劳动及其解放问题。劳动问题是人类社会的基础性问题，劳动解放是人的解放的前提。在今天，知识、信息、技术、管理等要素在市场经济中的地位越来越重要，资本在经济社会领域中的支配作用依然强大，这对于我们如何看待劳动问题提出了挑战。我们不能只停留在“劳动光荣”的口号上，应该深入思考劳动的地位和作用、劳动的社会性和自然性，以及劳动所得如何才算公平、如何推进劳动解放这样的深刻问题。《哥达纲领批判》聚焦的恰恰是劳动问题，是劳动解放以及劳动者如何解放的问题，这对于我们在今天构建劳动的政治哲学体系、讲好劳动的理论故事无疑有着重要作用。

其二，《哥达纲领批判》能为研究社会公平正义问题提供理论参考。随着改革开放的深入推进，公平正义的问题提上日程，成为特别受社会关注的问题，也因此亟需得到相关理论的阐释，亟需马克思主义的正义论给予回应。但不可回避的问题是，在马克思主义的经典著作中，对公平正义的问题谈得并不多，而《哥达纲领批判》则是为数不多的对平等权利、公平分配问题进行深入探讨的作品，是研究马克思主义正义理论无法绕开的基础文献。一些西方马克思主义学者正是主要从《哥达纲领批判》中挖掘出了马克思与正义的问题，引发了关于马克思与正义关系问题的广泛讨论。基于时代背景建构马克思主义正义论，需要我们走进《哥达纲领批判》。

其三,《哥达纲领批判》对于我们看待资本主义社会与共产主义的社会关系、思考共产主义社会也有很大启发。如何看待资本主义社会,如何看待共产主义社会,如何看待资本主义社会向共产主义社会的过渡,从新中国成立以来一直都是一个重要的问题。改革开放40余年是引入资本运作、发展市场经济的40余年,需要我们对资本主义社会与社会主义社会的关系重新审视,对共产主义社会是什么样的社会、共产主义社会能否实现等问题进行深刻回答。对未来社会发展阶段的划分是《哥达纲领批判》重要的理论创新,可以从中找到这些问题的答案。

其四,《哥达纲领批判》对于思考马克思主义国家理论有重要意义。长期以来所形成的观念是,马克思主义认为国家是阶级统治的工具,国家将最终走向消亡,但对于这种认识国内外至今尚存在争论。当今时代更加重视国家职能、国家制度,马克思主义的国家理论如何与当今社会的现实相结合,或如何根据新的时代背景重新建构,这是马克思主义研究需要破解的问题。《哥达纲领批判》谈到了现代国家本质、国家职能演变、自由国家、人民国家等问题,可以说它也是把握马克思主义国家理论的重要文献。

总体而言,《哥达纲领批判》提供了一个以劳动问题为主线的政治哲学体系,强调了劳动在财富生产中的地位和作用,讲清楚了劳动的自然性和社会性;它批判了劳动所得的平等权利和公平分配问题,深入到了公平正义的理论建构;它依据劳动的发展走向,对未来社会形态进行了大胆预测,提出了从资本主义社会到共产主义社会的过渡时期理论、共产主义社会的发展阶段理论；它围绕劳动解放的路径，谈到了国家职能、国家制度的演变以及国家的未来走向问题，描述了国家走向共同体的必然趋势。这是我们今天重新解读《哥达纲领批判》的主线。

延伸阅读

（1）恩格斯：《给奥·倍倍尔的信》，《马克思恩格斯选集》第3卷，北京：人民出版社，2012年。

（2）列宁：《国家与革命》，《列宁选集》第3卷，北京：人民出版社，2012年。

（3）裴晓君：《马克思〈哥达纲领批判〉研究读本》，北京：中央编译出版社，2013年。

深度思考

（1）今天应该如何整体上把握《哥达纲领批判》的主线？

（2）《国家与革命》如何继承和发展了《哥达纲领批判》？

（3）如何把握《哥达纲领批判》的新时代意义和价值？

Reading & Interpretation
大家写小书·马恩经典著作新读

第 二 章

劳动：绝非"超自然的创造力"

关乎劳动的政治哲学，应该从明确劳动的地位，分析劳动在财富生产、在人类社会中的作用和价值开始。《哥达纲领批判》的正文开篇解决的就是这个问题，相关论述虽然短小，但对于我们把握马克思主义的劳动观，正确看待劳动的社会地位，具有不可替代的意义。

一、劳动为何不是一切财富的源泉？

马克思如此重视劳动的地位，如此坚定地站在劳动者的立场上，面对哥达纲领提出的“劳动是一切财富和一切文化的源泉”这样拔高劳动的地位的说法，按说他应该不会反对，但他恰恰就直接表示了反对，指出“劳动不是一切财富的源泉。自然界同劳动一样也是使用价值（而物质财富就是由使用价值构成的！）的源泉，劳动本身不过是一种自然力即人的劳动力的表现”[①]。

马克思是严谨的，这种严谨性首先就体现在他在提出反对意见的时候实际上先界定了“财富”，即特指由使用价值构成的物质财富。在商品生产的资本主义社会，财富还以价值的形式存在，而这里探讨的只是物质财富。

劳动只是物质财富的源泉之一，人的劳动和自然界共同构成物质财富的源泉。只有劳动不能创造财富，没有自然界提供的原材料、生产工具等，无法创造财富。正所谓巧妇难为无米之炊，没有米，做不出饭。也有人可能会认为，大自然本身就是宝藏、就是财富，没有劳动也有财富。这种说法实际上

①《马克思恩格斯选集》第3卷，北京：人民出版社，2012年，第357页。

忘了，财富、财产是从属于人的概念，是有了人、有了人的劳动之后才有的概念。没有人、没有人的劳动，大自然还是大自然，不能成为财富、财产。

人类社会的一切财富和文化都是通过人的劳动在自然界中逐渐被生产出来的。读马克思的书，我们很容易会读出：人类社会的最初图景是只有人的劳动和自然界，人的劳动在自然中创造出人类社会的一切，例如商品、货币、资本、权力、道德、文化等都是人的劳动创造出来的，是服务于人的劳动和生活的“工具”。马克思的理论，不是经济决定论，不是技术决定论，不是社会存在本体论，一定意义上说应该是劳动本体论或劳动生成论。劳动就是具有如此重要的地位。

知识链接

★ 生产与劳动不是一回事 ★

生产包括两种，一种是生活资料的生产即食物、衣服、住房以及为此所必需的工具的生产，另一种是人自身的生产，即人的生殖繁衍。可见，劳动与生产并不是一回事，劳动主要与第一种生产有关。劳动过程与生产过程，劳动活动与生产活动也不是一回事，劳动过程有时只是生产过程的一部分，劳动活动有时只是生产活动的一部分内容。

如此重要的劳动并非万能，唯物史观不会因为对劳动的偏爱，就拔高它的地位，置客观现实于不顾，似乎它可以不受约束、不受限制地创造一切。“只有一个人一开始就以所有者的身份来对待自然界这个一切劳动资料和劳动对象的第一源泉，把自然界当做属于他的东西来处置，他的劳动才成为使用价值的源泉，因而也成为财富的源泉。”①自然界为劳动提供了工具，提供了对象，自然界是一切劳动资料和劳动对象的第一源泉，离开自然界，劳动也不可能成为财富的源泉。

而且，作为构成财富源泉的两个部分，劳动和自然界不是完全独立的，虽然劳动从属于人，自然界属于人之外的对象，但人本身也是自然界的一部分，人的劳动力本身就是一种自然力，劳动只是人的劳动力这种自然力的表现。对劳动和自然界的如此认识，是辩证法的运用。辩证法强调两个事物的对立统一，比如我们和世界、物质和意识、存在和思维、社会存在和社会意识等，但人为地强调两个方面的对立，只强调区分，而看不到两者的合二为一，那本身就是对辩证法的背离。

在讲劳动的作用的时候，如此强调自然界，马克思想说明的是，劳动一开始就不是随心所欲的，不能把劳动说成是“超自然的创造力”，这种说法恰恰是他之前的一些理论家的抽象或预设。劳动天然具有“自然制约性”，要受制于自然界。虽然人类社会是在劳动中创造和发展的，但也不能人为夸大劳动的力量，把人的劳动说成是不受制约的力量。

过度夸大劳动的作用，不一定会带来财富的增长，反而还会违背自然规律，受到自然的报复。唯物史观看待人类社会、看待人的劳动，有一个很重要的前提，那就是客观，不因情感倾向人为地拔高某个东西而脱离实际，这是搞社会主义建设任何时候都应坚持的前提。

---

①《马克思恩格斯选集》第3卷，北京：人民出版社，2012年，第357页。

二、离开社会谈劳动注定是空谈

劳动不仅受到自然条件的制约，也受到社会条件的制约。任何劳动都是在一定的社会中进行的，只有在社会中和通过社会，劳动才能成为财富的源泉。考察劳动问题，离不开对现实社会的考察，离开社会谈劳动，注定是空谈。

哥达纲领在这个问题上的表述却是，“有益的劳动只有在社会中和通过社会才是可能的”[①]。言外之意，劳动有益与否，要由社会来决定。但由社会来决定，就必然是由在社会上占统治地位、占优势地位的观念来决定的，这是马克思所不能容忍的。

应该在特定的社会中来考察劳动，但绝不能让社会来决定劳动有益与否，应该由劳动的状况来评价社会好坏与否、进步与否。社会好坏，应该由劳动收入所占的比重，由劳动者所处的社会地位、生活状况所决定。坏的社会，会把有益的劳动变成无益，会让勤奋的劳动者受到剥夺，会让一部分人不劳而获。基点应该是劳动，应该基于劳动的状况透视社会，解决制约劳动的因素，解决一部分人劳动一部分人不劳而获的问题，推进社会的进步。

透视社会看劳动，就会发现，一个人并不是可以随心所欲地从事劳动，不是想用什么劳动就能用什么劳动，不是想在哪儿劳动就在哪儿劳动，不是想给自己劳动就能给自己劳动。一个人要劳动，就要获取劳动资料、劳动对象，但土地、资源能

①《马克思恩格斯选集》第3卷，北京：人民出版社，2012年，第357页。

否成为他的劳动资料、劳动对象，不是由他任性说了算。在特定的社会条件下，有可能劳动的物质条件早已被别人占有，一些人想给自己劳动却没有劳动资料、劳动对象，他因此只能作为“奴隶”，得到别人的允许才能劳动、才能生存。“一个除自己的劳动力以外没有任何其他财产的人，在任何社会的和文化的状态中，都不得不为另一些已经成了劳动的物质条件的所有者的人做奴隶。他只有得到他们的允许才能劳动，因而只有得到他们的允许才能生存。”①

劳动是财富的源泉，一个人去劳动才能有财富，不劳动就不应该占有财富。但残酷的现实是，在特定的社会条件下，一个人不一定有机会参加劳动获得财富，而且，即便他劳动了，也不一定能够拥有财富。反过来说，那些不劳动的人自己不劳动，却会因为有劳动资料，就能靠别人的劳动获得财富。劳动创造财富，但能否拥有财富，要视特定的社会条件而定；劳动创造财富，不一定是给自己创造，也有可能是给别人创造。

马克思看到的是，随着劳动的社会性的发展，也随着劳动成为财富和文化的源泉，劳动者方面的贫穷和愚昧和非劳动者方面的财富和文化也发展起来。从奴隶劳动到农民劳动，再到资本主义社会的雇佣劳动，从事劳动的人却成为不拥有财富或拥有很少比例财富的人，这是人类社会需要持之以恒解决的问题。

在当时的资本主义社会谈“有益的劳动只有在社会里和通过社会才是可能的”，让资本主义社会来决定劳动的有益与

①《马克思恩格斯选集》第3卷，北京：人民出版社，2012年，第357—358页。

否，就会让资本主义社会天然具有正当性，这对劳动无疑是一种伤害。

马克思要揭穿雇佣劳动制度背后的秘密："工资不是它表面上呈现的那种东西，不是劳动的价值或价格，而只是劳动力的价值或价格的隐蔽形式……雇佣工人只有为资本家（因而也为同资本家一起分享剩余价值的人）白白地劳动一定的时间，才被允许为维持自己的生活而劳动，就是说，才被允许生存；整个资本主义生产体系的中心问题，就是用延长工作日，或者提高生产率，增强劳动力的紧张程度等等办法，来增加这个无偿劳动；因此，雇佣劳动制度是奴隶制度，而且劳动的社会生产力越发展，这种奴隶制度就越残酷，不管工人得到的报酬较好或是较坏。"[①]这就是马克思所揭示的资本主义社会劳动的真实状况。在这样的社会，不是谈劳动有益还是无益的事情，而是要解决生产方式、生产关系以及在这个基础上形成的雇佣劳动制度本身的问题，这样才能触碰到劳动问题的根本性层面。

马克思的这段论述，同样能给今天的我们以启示，一个社会的发展进步，喊劳动光荣，激发劳动者的职业精神、工匠精神是必要的，但还是不够的，必须从生产关系、社会关系上着手解决劳动问题，合理划定资本与劳动收益比例，保障劳动者的权益，改善劳动者的工作环境，维护劳动者的尊严，让劳动者得其所应得。

①《马克思恩格斯选集》第3卷，北京：人民出版社，2012年，第370页。

延伸阅读

（1）马克思：《雇佣劳动与资本》，《马克思恩格斯选集》第3卷，北京：人民出版社，2012年。

（2）恩格斯：《自然辩证法》，《马克思恩格斯选集》第4卷，北京：人民出版社，2012年。

（3）习近平：《在庆祝“五一”国际劳动节暨表彰全国劳动模范和先进工作者大会上的讲话》，北京：人民出版社，2015年。

深度思考

（1）把劳动说成是“超自然的创造力”在理论上和实践上有何问题？

（2）如何理解市场经济中“利己的人”与“社会的劳动”之间的关系？

（3）如何才能让劳动者更有尊严地劳动？

第三章

劳动所得：如何分配才是正义的？

讲劳动,自然应该讲劳动所得。强调劳动的自然性和社会性,只是从理论地基上讲清楚劳动的地位和作用,至于劳动是否是一切财富的源泉、是否是超自然的创造力,在实践上并不会直接带来问题。但劳动所得应该属于谁,应该如何分配,涉及劳动主体的主张和诉求,会产生直接的实际效果。马克思围绕劳动所得的“平等权利”和“公平分配”问题进行了深入分析,实际上表达了自己的平等观和公平观,对于我们思考当今时代的公平正义问题依然具有启发意义。

一、“平等的权利”背后的不平等

马克思用不算少的篇幅批判了以下的主张——“劳动所得应当不折不扣和按照平等的权利属于社会一切成员”[①]。这种主张强调每个人的“平等的权利”,强调“一切社会成员”,强调“不折不扣”,针对的是一些社会成员的劳动强度与劳动所得不相一致、进行了大量劳动却无法或很少获得劳动成果、一些劳动成果被其他人占有而打了折扣的社会问题所提出的,这是站在劳动者的立场上,为解决社会不平等、不公平所提出的具体主张,在我们很多人看来当然是没有任何问题的。

马克思先是批判了“劳动所得”的“不清不楚”:到底是劳动的产品还是产品的价值?是以使用价值为表现形式的物质财富,还是以价值为表现形式的财富?是产品的总价值,还是新增加的价值?这一点马克思只是一带而过。他应该清楚,虽然从政治经济学的专业角度来看,这个问题是重要的,但对

①《马克思恩格斯选集》第3卷,北京:人民出版社,2012年,第357页。

非专业的社会公众来说其实并不重要，不会影响接下来的分析。

他接着批判了“社会一切成员”和“平等的权利”只是些空话，因为如果劳动所得属于一切社会成员，既属于劳动的成员，也属于不劳动的成员，那对劳动者本身而言就是打了折扣的；如果劳动所得只属于劳动的成员，不劳动的成员不能分享，那就没有社会一切成员的平等的权利可谈。通过马克思的剖析，我们会发现，如此高大上的又看似符合情理的主张竟然是存在悖论的。

再接下来，马克思指出劳动所得的“不折不扣”也是不可能的，因为在生产者之间分配劳动所得前，必须扣除用来补偿消耗掉的生产资料的部分、用来扩大生产的追加部分、用来应付不幸事故和自然灾害等的后备基金或保险基金等，还要扣除同生产没有直接关系的一般管理费用，用来满足维持社会秩序的政府、社会机构的费用，共同需要的部分如学校、保障设施等的费用，为丧失劳动能力的人设立的基金等，这些扣除理所应该，没有人会质疑。扣除了这些，才能谈在各个生产者之间按照平等权利进行公平分配，而这个时候不折不扣的劳动所得已经变成不知不觉的有折有扣了。

而且，应该扣除多少，根据公平原则是无法计算的，谈平等与公平没有意义，而恰恰在这个扣除或预留的环节，可能就已经决定了权利的不平等。因为扣除的部分，不仅仅是交给为劳动提供服务和条件保障的政府或社会管理机构，也要交给那些拥有生产资料的私有者。满足私有者的要求之后，留下的才会在各个劳动者之间按照平等的权利分配。

也就是说，这种平等的权利要求，是在假设不存在封建贵族、资产阶级与无产阶级对立的基础上的，是假设了不同阶级成员共同劳动的基础上的。但现实情况并不是如此，把一切社会成员都看成了劳动者，而没有看到一些人根本不是劳动者。如果只有劳动者之间的平等权利，没有考虑阶级本身的存在，不考虑任何阶级差别，那这样的平等就肯定是有问题的。

即使劳动者之间按照平等的权利分配劳动所得，这就平等了吗？这是马克思提出的对当今来说仍是最值得探讨的一个问题。在他看来，这种“平等的权利”的主张，之所以是平等的，是因为它确立了同一尺度，即劳动，任何人都不例外，都要依据劳动来获得权利，这不正是“劳动面前人人平等”吗？但正如法律面前人人平等一样，社会成员虽然获得了平等的公民身份，但不平等依然存在；依据劳动获得平等的权利，不平等的现实还是存在。因为，劳动者的权利是同他们提供的劳动成比例的，提供的劳动越多，获得的权利越大，提供的劳动越少，获得的权利也就越小。

显然，平等的权利只是确立获得权利的尺度的同一化，不代表实际结果是平等的。由于人的体力或智力本来就有差别，按照平等的权利原则，那事实上人们实际获得的就是不平等的。再加上劳动者的生活条件不同，比如结婚与否、子女多少，也决定了即使提供的劳动相同、分得的份额相同，事实上获得的东西也是不平等的。多劳多得，少劳少得，结果显而易见，按照劳动作为尺度来决定每个人的所得，那必然是有些人得到的多，有些人比另一些人富裕。

在马克思看来："这种平等的权利，对不同等的劳动来说是不平等的权利。它不承认任何阶级差别，因为每个人都像其他人一样只是劳动者；但是它默认，劳动者的不同等的个人天赋，从而不同等的工作能力，是天然特权。所以就它的内容来讲，它像一切权利一样是一种不平等的权利。"[①]权利以劳动这一尺度来计量，将人只是看作劳动者，就抹杀了人与人之间其他方面的差别、人的个性，就认同了区分人的力量大小是劳动能力大小的唯一因素。马克思的这段话实际上说明了他对权利的根本观点，也讲清楚了他为什么要批判权利的原因。归根结底，权利否定了阶级存在的客观现实，也否定了个性的差别，把人进行了抽象化、同质化，形式上的平等掩盖的是内容本身的不平等。

所以，在马克思看来，"消除一切社会的和政治的不平等"是不明确的语句，应该改成，"随着阶级差别的消失，一切由这些差别产生的社会的和政治的不平等也自行消失"[②]。恩格斯也提出："用'消除一切社会的和政治的不平等'来代替'消灭一切阶级差别'，这也很成问题。在国和国、省和省、甚至地方和地方之间总会有生活条件方面的某种不平等存在，这种不平等可以减少到最低限度，但是永远不可能完全消除。"[③]消除一切社会的和政治的不平等，看似很理想，但这种理想是无法成为现实的，也就只能是空想，只能成为不切实际的口号。不平等有的时候是以差异、个性而存在的，不能在平等的追求

①《马克思恩格斯选集》第3卷，北京：人民出版社，2012年，第364页。

②《马克思恩格斯选集》第3卷，北京：人民出版社，2012年，第371页。

③《马克思恩格斯选集》第3卷，北京：人民出版社，2012年，第349页。

下，消灭差异、个性，个人差异是正常的，个性是必须保证的，不然的话，就只能人为地制造不平等。

在平等问题上努力，要抓住问题的根本，而不是胡乱喊一些人人平等的口号，平等问题的根本就是如何消除建立在阶级基础上的政治上和社会上的不平等，而不是消除一切不平等。要求消除个性，要求以同一的标准要求人，要求每个人都是一样的人，这是追求人的自由全面发展的理论所不能接受的，也是不符合客观现实和未来社会走向的。用法律保障公民的权利，逐渐消除阶级的差别，保留人的个性的差异，才是值得追求的进路。

二、为何要批判“公平的分配”？

除了“平等的权利”之外，马克思还批判了另外一个会让一些人觉得没有问题的主张——“劳动的解放要求把劳动资料提高为社会的公共财产，要求集体调节总劳动并公平分配劳动所得”。首先必须声明的是，马克思没有批判前半句，即把劳动资料提高为社会的公共财产，甚至也没有批判后半句的“集体调节总劳动”。生产资料不能私有，应归社会所有，这正是马克思、恩格斯一直坚持的主张。

马克思批判的是后半句中的“公平的分配”。公平分配，这种诉求还要去批判吗？这不是有社会情怀的人所追求的目标吗？但马克思恰恰提出了自己的不满，他看到的是，不同阶层的人，包括资产者，包括各种社会主义宗派分子都有不同的公平观念。如何分配才是公平的，根本不可能获得共识，到头来公平分配就成了一个众说纷纭、公说公有理婆说婆有理的结论。即使在我们生活的今天,也是如此,每个人都认为公平重要,都有自己的公平观,都在喊公平,但到底什么是公平的,如何分配才是公平的,很难形成共识。

马克思还看到了,在资本主义社会,在资本主义生产方式的基础上,资产阶级的公平观念更容易受到认同。有的人有生产资料,有的人没有生产资料,没有生产资料的人靠出卖劳动力获得收入,就是公平的;有钱的出钱,有力的出力,有的人靠资本获得高收入,有的人靠雇佣劳动获得低收入,也是公平的;有的人从事脑力劳动,有的人从事体力劳动,从事脑力劳动的人获得更高收入,从事体力劳动的获得低收入,也是公平的;有的人因管理、技术甚至天赋、创意等获得高收入,有的人只能靠拼死拼活的辛苦劳动获得低收入,也是公平的;有的人因生产的产品供不应求卖出高价获得高收入,有的人因生产的商品供大于求只能卖出低价获得低收入,只要不靠生产假冒伪劣商品获得收入,就是公平的。

在这种社会状况下,讲公平分配,结果注定是有利于少数资产拥有者的,而不是有利于大多数劳动者的。公平分配(也应该包括平等权利)归根结底是法的概念,这种法的概念是从生产关系、经济关系中产生的。生产关系、经济关系才是最为根本的,它决定了什么样的分配方式才是公平分配。资本逻辑主导、市场经济运作,决定了公平分配观念不可能站在劳动、劳动者的利益这一边,增强了对资本逻辑主导的生产方式的认同。

在资本逻辑主导的历史阶段,“在所谓分配问题上大做文章并把重点放在它上面，那也是根本错误的”[①]，“庸俗的社会主义仿效资产阶级经济学家（一部分民主派又仿效庸俗社会主义）把分配看成并解释成一种不依赖于生产方式的东西，从而把社会主义描写为主要是围绕着分配兜圈子”[②]。如果生产方式、生产关系没有理顺，劳动资料被少数人掌握，只在公平分配和权利平等上做文章是不够的。

分配问题不是根本性的问题，必须从分配领域进入到生产领域，看到生产方式、生产关系的问题，才能看到现代社会的真正问题，才能找到现代社会公平正义问题的根本，才能找到应该追求的目标。“消费资料的任何一种分配，都不过是生产条件本身分配的结果；而生产条件的分配，则表现生产方式本身的性质。”[③]总体上看，平等的权利、公平的分配观都建立在资本主义社会、资本主义商品经济、雇佣劳动关系的基础上，是建立在商品生产、等价交换、私有财产的基础上的设想，是在假定这种生产方式、这种社会永恒的基础上的主张。而没有触及生产方式、生产关系，只讲分配公平和平等权利，是远远不够的。

知识链接 ……………………………………………………

★ 已经写在宪法上的分配制度 ★

我国宪法规定，中华人民共和国的社会主义经济制度的基础是

① 《马克思恩格斯选集》第3卷，北京：人民出版社，2012年，第365页。
② 《马克思恩格斯选集》第3卷，北京：人民出版社，2012年，第365—366页。
③ 《马克思恩格斯选集》第3卷，北京：人民出版社，2012年，第365页。

生产资料的社会主义公有制，即全民所有制和劳动群众集体所有制。社会主义公有制消灭人剥削人的制度，实行各尽所能、按劳分配的原则。国家在社会主义初级阶段，坚持公有制为主体、多种所有制经济共同发展的基本经济制度，坚持按劳分配为主体、多种分配方式并存的分配制度。

马克思不是不讲平等的权利，不是不讲公平的分配，而是讲在生产方式、生产关系的基础上的平等权利、公平分配。就此而言，马克思主义提倡的是一种不同于自由主义的法权正义和分配正义的生产正义。

如何在今天应用这种生产正义，面临着如何看待马克思所批判的平等权利和分配公平的问题。必须明确，只讲生产关系领域的生产正义（只讲解决阶级问题），一味地批判平等权利和分配公平，显然是有问题的。在马克思看来，平等的权利和公平的分配在历史上曾经有一些意义，这是不容抹杀的，但现在已经变成陈词滥调，已经成为教条，这是民主主义者和法国社会主义者惯用的、凭空想象的关于权利的废话。

其中需要我们谨记的是，马克思并没有否定两者的历史意义，而是告诉社会主义者不要再停留在这个阶段，要在民主主义者已经取得的平等权利和分配公平的基础上往前走，要从革命民主主义走向共产主义，从政治哲学、法哲学领域走向政治经济学领域。

平等权利和分配公平很重要，但根在生产方式、生产关系领域，根在阶级关系。必须在主张平等权利和公平分配的基础上推进生产正义，推进阶级关系的解决，而不是停留在现有的资本主义生产方式上，一味主张劳动所得的公平分配。更准确地说，马克思主张在法权正义和分配正义、交换正义的基础上推进生产正义。

三、"按需分配"还是分配问题吗？

生产方式、生产关系是会变化的，随着生产方式、生产关系的变化，消费资料的分配就会发生变化，分配公平的观念本身也会发生变化。是否是公平正义的，要放在不同的历史阶段来谈，公平正义因此也是历史的概念，在不同的社会历史阶段，随着不同的生产方式的出现、生产的物质条件的变化，就会出现不同的公平分配的标准。

在资本主义生产方式下，我们所能达到、所能认同的观念是，按劳分配就是公平的分配，就是符合公平正义的。"权利决不能超出社会的经济结构以及由经济结构制约的社会的文化发展。"[①]但这并不代表，未来社会的消费资料的分配也是如此，尽管按劳分配还是公平正义的，但按劳分配本身存在着形式上平等实际上不平等、分配上公平生产上不公平的缺陷。

在马克思看来，按劳分配作为被认可的公平正义的标准在一个漫长的历史阶段都将存在，都具有合理性。结合按劳分配这个话题，需要再次重申的是，马克思所反对的不代表立刻马上就要反对，所追求的未来社会理想不代表立刻马上就会实现。唯物史观遵循客观历史发展的规律，它要求立足当下、放眼长远，不超前不落后，要在人类社会已经取得的成就

①《马克思恩格斯选集》第3卷，北京：人民出版社，2012年，第364页。

的基础上向前推进，不割裂不空想。按劳分配、平等权利、公平分配尽管有缺陷、有问题，但这是人类已经取得的进步，是符合特定历史阶段的要求，不能因其有问题就放弃不用，就不去追求。

在马克思看来，按劳分配不仅将在资本主义社会，而且在共产主义社会的第一阶段都存在。资本主义社会以及共产主义社会第一阶段，奉行的都是同一的按劳分配的原则，即每一个生产者从社会领回的（做了各项扣除以后）正好是他给予社会的。

差别在于，在资本主义社会，生产资料、劳动资料归私人所有，一部分人有一部分人没有；不同的市场主体在市场中交换自己的劳动产品（商品），因此人的劳动表现为产品的价值，表现为产品的某种物的属性，人与人的关系要通过偶然的物与物的关系建立；个人的劳动不是直接获得劳动成果，而是要经过迂回曲折的道路，要通过交换才能最终获得。

在共产主义社会第一阶段，"在一个集体的、以生产资料公有为基础的社会中，生产者不交换自己的产品；用在产品上的劳动，在这里也不表现为这些产品的价值，不表现为这些产品所具有的某种物的属性，因为这时，同资本主义社会相反，个人的劳动不再经过迂回曲折的道路，而是直接作为总劳动的组成部分存在着"[①]。这个阶段，生产资料实现公有、社会所有，人们之间不存在商品交换，无需交换产品，人的劳动不再表现为产品的价值、表现为物，个人的劳动直接作为社会总劳

①《马克思恩格斯选集》第3卷，北京：人民出版社，2012年，第363页。

动的组成部分，不再通过迂回的方式获得劳动成果。

虽然奉行的按劳分配的基本原则没有差别，但在资本主义社会，原则和实践是矛盾的，等价交换可以平均实现但很多场合无法实现，工人付出了一定的劳动，在经过商品交换的过程中，最后收回的却是劳动量的一部分而不是全部。而在共产主义社会的第一阶段，原则和实践不再矛盾，原则上坚持按劳分配，实践上也实现了按劳分配，而且等价交换存在于每个场合，因为实现了生产资料公有制，只有消费资料可以在各个生产者之间分配，生产资料等其他任何东西都不能转化为个人财产。

只有到了共产主义社会的高级阶段，按劳分配才会在原则上和实践上都不再存在。马克思最精彩也是最常被人引用的一段话就是："在共产主义社会高级阶段，在迫使个人奴隶般地服从分工的情形已经消失，从而脑力劳动和体力劳动的对立也随之消失之后；在劳动已经不仅仅是谋生的手段，而且本身成了生活的第一需要之后；在随着个人的全面发展，他们的生产力也增长起来，而集体财富的一切源泉都充分涌流之后，——只有在那个时候，才能完全超出资产阶级权利的狭隘眼界，社会才能在自己的旗帜上写上：各尽所能，按需分配！"[1]

这段话有着丰富的内容，不能被看作马克思随手写下的对未来社会状况的描述。这样的描述在马克思的文本中多次出现，都是极度简洁的。对他来说，批判推翻旧世界是主要的，新世界的建立则要靠后人的努力，过多的描述会陷入到空

①《马克思恩格斯选集》第3卷，北京：人民出版社，2012年，第364—365页。

想中，对新世界的建立也可能会产生不利的影响。但对于任务已经是建立新世界的这个时代的我们而言，对未来社会的描述和预测，无疑能给我们提供一些启发。结合今天已经发生的变化，我们可以认真体会下马克思的描述：

人们不再为了谋生而劳动，不再被迫去劳动，不再必须从事某项他不喜欢的劳动，也不再只是被动地一生从事某一种劳动；劳动也不再区分三六九等，无论是从事体力劳动还是脑力劳动，都将受到平等的有尊严的对待；劳动成了生活的第一需要，劳动本身就是生活，就是生活的一部分，不再有繁重的劳动时间和休闲的生活时间之分，这是人的劳动获得全面解放、个人获得自由和全面发展的社会，是生产力极大发展、社会财富极大丰富的社会，是“各尽所能，按需分配”的全新的社会。

我们必须思考的问题是，各尽所能，按需分配，这应该是共产主义社会公平正义的原则。问题在于，马克思反对在分配问题上做文章，那按需分配是否也是在分配问题上做文章呢？显然，这段话并不是要主张按需分配，按需分配不是应该采取的行动，而是自然生成的历史结果，是在生产条件、生产劳动方式本身发生变化的情况下出现的结果，这不是围绕分配问题做文章，是围绕着生产方式、生产关系做文章，围绕着如何解放劳动、人的解放做文章。

谈到“各尽所能，按需分配”，人们容易提出的质疑是，物质财富极大丰富是否可能，是否充分考虑到自然的承载力（这个问题随着全球生态环境困境而显得更受重视）？人人都只想去享受而不想受累去劳动，都想让别人去劳动、自己不劳动，劳动成为第一需要可能吗？人是贪婪的，欲望不可能满足，再发展也不可能满足人的不断增长的需要啊！

要达到按需分配，马克思谈到了至少三个方面的基本前提：第一个前提是人的劳动创造的财富极大丰富，这需要依靠新能源革命等科学技术的革新，需要在化解人与自然矛盾的基础上实现生产力的发展；第二个是人的劳动活动本身不再是枯燥的、机械的、重复的，而成为自由的、充满情感的、使人的价值得以实现的活动；第三个是人本身，人成为自由全面发展的高素质的人，而不是贪婪的、占有欲的、利己主义的人，人的需要真正的是“人”的需要，而不是被物欲、贪欲所操控的需要。

三个要求，缺一不可，而且归根结底是人，没有人本身的改变，就不可能有我们设想的理想社会。人类社会的历史进程让我们清晰地看到，这三个方面确实都在发生积极的改变，就发展的趋势而言，按需分配的社会是可能的，也是现实的。

谈到“各尽所能，按需分配”，我们容易忽略掉的是“各尽所能”。其实，“各尽所能”应该理解为按需分配的前提，每个人根据自己的需要参与分配，是因为他尽自己的能力、发挥自己的特长参与了社会总劳动。“各尽所能”原则绝不是按同质化的、同一标准来对待每个人，它不是把人都当作同一的个体，它把每个人都看成独特的、差异的社会存在物，让每个人的自由和个性、天赋和能力都能够得到充分发挥。

在我们的生活中，我们就能感受到“各尽所能”的价值和意义，如果每个人都在自己的岗位上尽职尽责，干好自己的事情，而不总是抱怨从事别的职业、在别的岗位的人干得不好，整天说这个不行那个不行，那这个社会就会有很大的进步。

延伸阅读

（1）马克思：《哲学的贫困》，《马克思恩格斯选集》第1卷，北京：人民出版社，2012年。

（2）马克思、恩格斯：《共产党宣言》，《马克思恩格斯选集》第1卷，北京：人民出版社，2012年。

（3）列宁：《告贫苦农民》，《列宁全集》第7卷，北京：人民出版社，2013年。

深度思考

（1）如何理解平等、公平与正义这三个范畴之间的关系？

（2）社会主义国家需要什么样的平等观？

（3）当下收入差距拉大是否意味着共同富裕奋斗目标难以实现？

第四章

劳动解放的社会形态：共产主义社会的阶段划分

科学把握劳动问题，看待平等、公平、正义问题，要有历史的眼光、发展的眼光，超越资本主义社会的狭隘视野，从人类历史进步、未来社会走向的长远视域去观察。正是沿着这个思路，马克思在《哥达纲领批判》中，第一次也是唯一一次提出了资本主义社会经“革命转变时期”（多被称为“过渡时期”），到“共产主义社会第一阶段”，再到“共产主义社会高级阶段”的社会形态演变理论、共产主义社会发展阶段理论。这对于我们思考人类社会的发展进程，理解共产主义社会及其与资本主义社会的关系问题，有着不可多得的价值。

一、“从资本主义社会中产生出来”的社会

人类社会必将从资本主义走向社会主义、共产主义，这早已被认作马克思主义关于人类社会历史发展的基本结论，对很多人来说已经是“常识”。是否坚持这一点，也完全可以作为判断一个人是否是马克思主义者的根本标准。

这个结论没有任何问题，有问题的是逐渐形成的一种似乎根深蒂固的观念，那就是：资本主义国家与社会主义国家是对立的，社会主义国家比资本主义国家拥有天然的优越性和道德正当性；资本主义就是绝对的坏东西，似乎资本主义国家的一切东西都是有问题的，它所强调的自由、平等、博爱、人权、民主等都是虚伪的、骗人的，只是用形式的公平掩盖实质的不公平，以形式的民主遮蔽金钱主导的假民主，少数人将自由建立在大多数人没有自由的基础上。

但现实情况并非如此，有些我们所认为的社会主义国家远远比不上西方发达资本主义国家的发展水平，不仅仅是在

经济方面，也包括政治、社会、文化、生态等方面，这导致一些人对社会主义的优越性充满怀疑。当我们把资本主义与社会主义当作同一空间里平行的、存在竞争关系的两种国家制度、两种社会形态，而不是从人类社会历史发展这一时间线索去审视的时候，一些问题注定难以回答。

马克思眼里的资本主义社会与共产主义社会不可能在同一空间出现，两种类型的社会不可能是并列的相互博弈的社会形态，共产主义社会是在资本主义社会发展的基础上产生的。离开资本主义社会，没有办法想象共产主义社会；没有资本主义社会发展奠定的基础，也不可能有共产主义社会的到来。唯物史观看人类社会发展，不割裂历史的进程，强调的是继承性发展。共产主义社会不可能在空地上重建，也不可能靠一次性革命就能实现，它必须在继承资本主义社会好的东西的基础上，才能最终出现。

因为近代以来中国社会独特的国情，社会主义建设虽然没有机会立足于本国资本主义社会的长期发展，但绝对有机会继承发展整个世界资本主义社会的成就，在这些成就的基础上向前推进。人为地将自己与资本主义划清界限，否定资本主义社会取得的成就，看不到其对中国社会主义的作用，只会阻碍中国的进步和发展。

也有一种观点认为：改革开放以来的中国实际上在“补资本主义的课”，改革开放实际上就是在走资本主义的路，社会主义只是名义和口号，中国要经过长期的发展才有可能真正搞社会主义事业。我们确实需要认真对待这种说法的出现，这种观点是因为看到中国改革开放搞资本运作和市场经济，就认为中国不再是社会主义社会了，就是资本主义社会了。其实，并不是有资本、有市场就是资本主义，以公有制为主体的经济制度、中国共产党的领导等，保证了中国不可能走回资本主义。不能看到资本，看到市场，看到非公有制经济，就套上“中国特色资本主义”的标签，就认为中国背叛了社会主义。

知识链接 ……………………………………………………

★ 市场经济不等于资本主义 ★

1991年，东欧社会主义国家相继倒台，世界上第一个社会主义国家苏联解体。苏联和东欧的剧变不可避免地引起国内一些人对正在探索中的改革开放的担忧，全国关于姓“社”姓“资”的争论此起彼伏，甚至有人把深圳特区当作搞资本主义的典型和资本主义国家进行和平演变的活靶子。面临严峻的国内外形势，1992年，邓小平赴武昌、深圳、珠海、上海等地视察，发表了重要的“南方谈话”。邓小平提出“计划多一点还是市场多一点，不是社会主义与资本主义的本质区别。计划经济不等于社会主义，资本主义也有计划；市场经济不等于资本主义，社会主义也有市场。计划和市场都是经济手段”①，提出了社会主义本质论，廓清了长期以来人们对社会主义、计划经济、市场经济等概念的错误认识。

处于社会主义初级阶段的当代中国确实有马克思所描述的资本主义社会的现象，这不能否认，但存在这种现象，也是正常的。在马克思看来，即使进入共产主义社会，也不可避免

① 《邓小平文选》第3卷，北京：人民出版社，1993年，第373页。

地带有“旧社会的痕迹”，存在着资本主义社会的“弊病”，“我们这里所说的是这样的共产主义社会……它在各方面，在经济、道德和精神方面都还带着它脱胎出来的那个旧社会的痕迹”[①]，“但是这些弊病，在经过长久阵痛刚刚从资本主义社会产生出来的共产主义社会第一阶段，是不可避免的”[②]。处在社会主义初级阶段的中国，不可能完全摆脱痕迹和弊病，我们要宽容中国特色社会主义实践中的问题、弊病和矛盾。

在中国特色社会主义实践中，我们需要重新看待资本、资本主义、资产阶级等以“资”字开头的词，至少不能将它们作为完全否定性的东西去看，导致我们自己背负着沉重的理论包袱。改革开放已经打破了关于市场经济的观念障碍，社会主义也可以搞市场经济已经广为人民所接受，现在需要的是打破对资本、资产阶级、资本主义的观念障碍，看到资本、资产阶级、资本主义的积极性的一面，使其服务于社会主义事业。正如马克思、恩格斯虽然一直在批判资本、资产阶级、资本主义，但在不同的文本中都指出了资本的巨大作用、资产阶级革命性的一面、资本主义社会相对于封建专制社会的进步性一样。这是马克思主义者坚持辩证的、历史唯物主义的方法应该有的态度。

二、“第一阶段”和“高级阶段”划分的深意

人类社会必将从资本主义社会进入到共产主义社会，但共产主义社会不是一旦进入就停滞不前的，它也有不同的发

①《马克思恩格斯选集》第3卷，北京：人民出版社，2012年，第363页。
②《马克思恩格斯选集》第3卷，北京：人民出版社，2012年，第364页。

展阶段，有共产主义社会的“第一阶段”和共产主义社会的“高级阶段”之分。共产主义社会的发展阶段理论是马克思在他之前的著作里所没有提到的，是《哥达纲领批判》这部作品所独有的。

与我们很多人通常理解的在资本主义社会和共产主义社会之间有一个社会主义社会阶段不同，在马克思的文本中，其实并不存在这个阶段。社会主义社会这个阶段的提出者实际上是列宁，他在1917年的《国家与革命》一书中指出：“通常所说的社会主义，马克思把它称做共产主义社会的‘第一’阶段或低级阶段。”[1]自此以后，社会主义社会替代共产主义社会的第一阶段，共产主义社会的第一阶段和高级阶段也就变成了我们所熟知的社会主义社会和共产主义社会两个阶段。

这种界定虽然并不符合马克思的原意——马克思在不同时期的著作中，对“社会主义”和“共产主义”有着不同的用法，但从来没有将两者放在一起，指称未来社会不同的发展阶段。但它无疑是成功的，产生了重要影响，被很多人所认同。只是这种界定容易给人一种感觉，就是社会主义社会成了夹杂在资本主义社会和共产主义社会之间的新社会形态，而不再是共产主义社会的一个阶段。共产主义社会也不再有阶段之分，变成了一个总体性、实体性的社会形态，成了人类社会历史进程的最终落脚点。

我们需要强化这种观念，即社会主义社会就是共产主义社会的一个阶段，是共产主义社会的第一阶段，不能将社会主

---

①《列宁选集》第3卷，北京：人民出版社，2012年，第199-200页。

义社会和共产主义社会看成两个独立的社会形态。因为进入到社会主义社会,就已经在共产主义社会的整体事业中了,只不过是在不断地走向更高阶段的共产主义社会。

我们应该把共产主义社会看成本身不断发展的、包含不同阶段的社会形态。有人提出问题,说按照辩证法,任何事物都有其产生、发展、灭亡的过程,实现了的共产主义社会为什么就没有灭亡,为什么就不会被新的社会形态所代替,为什么就是最终的奋斗目标?确实,如果把共产主义社会理解为一个有待实现的最终的社会目标,这个问题就是难以回答的,但如果把共产主义社会本身也看作是一个不断发展的过程,这自然就不是问题了。

值得说明的是,有中国学者指出了翻译的一个问题,即"In einer hö heren phase der Kommunistischen Gesellschaft"应该被翻译为"在共产主义社会的一个更高的阶段",而中文翻译的是"在共产主义社会高级阶段"[①]。这个细微的差别,带来的结果却是相差很大的。因为如果只是高级阶段,那共产主义社会就只有两个阶段,"共产主义社会高级阶段"就变成了人类社会的最终目标;如果是更高一级的阶段,或者说是第一阶段之后的"第二阶段",那就还有更高级阶段,还有多个甚至无数个阶段。

共产主义社会究竟是只有两个发展阶段,还是有多个或者无数个发展阶段?马克思并没有明确指出,我们今天也不好做出定论,能做的是要强调共产主义社会的过程性。共产

① 于光远:《〈哥达纲领批判〉中译本里的"共产主义社会高级阶段"应译成"共产主义社会的一个更高的阶段"》,《马克思主义研究》1987年第3期。

主义社会本身是一个不断发展的过程，而不是一个有朝一日彻底实现的结果。划分出不同的阶段，说明共产主义社会不是一蹴而就、一锤子买卖、很容易就能实现的，要经历不同的阶段，要经过长期的、漫长的过程。甚至可以说，人类社会就是一个共产主义从出现到实现的过程，从在人的头脑中出现，然后进入到现实的过程，又通过一个阶段又一个阶段不断发展的过程。

为共产主义而奋斗，在不同的阶段，会有不同的要求。在处于社会主义初级阶段的中国讲为共产主义社会而奋斗，一定意义上就是指要为社会主义社会即共产主义社会的第一阶段而奋斗。而在未来的社会进程中，我们同样要讲为共产主义而奋斗，这个时候就是指更高级阶段的共产主义社会了。

三、为何必然会有一个“过渡时期”？

从资本主义社会进入到共产主义社会，并不是一步到位的，中间要经历一个阶段或者说一个时期，“有一个从前者变为后者的革命转变时期。同这个时期相适应的也有一个政治上的过渡时期，这个时期的国家只能是无产阶级的革命专政”[①]。今天习惯上所说的从资本主义社会走向共产主义社会的“过渡时期”，准确地说应该是“革命转变时期”，“过渡时期”只是从政治上、国家制度转变的角度而言的，是“革命转变时期”的一个方面。

正是在《哥达纲领批判》中，马克思清晰地描绘了社会形

①《马克思恩格斯选集》第3卷，北京：人民出版社，2012年，第373页。

态演变的几个阶段：资本主义社会——革命转变时期（过渡时期）——共产主义社会第一阶段——共产主义社会高级阶段。这个“过渡时期”理论同样产生了深远影响。在《国家与革命》中，列宁特别提醒不要忘记，“在历史上必然会有一个从资本主义向共产主义过渡的特殊时期或特殊阶段”[1]。为什么必然会有这个过渡时期？马克思为什么要提出这个过渡时期？今天该如何理解这个过渡时期？

应该明确的是，过渡时期是向共产主义社会第一阶段（社会主义社会）的过渡，不是向共产主义社会高级阶段的过渡。它既不属于资本主义社会阶段，也不属于共产主义社会阶段，它是资本主义社会与共产主义社会之间的桥梁，必然既保有资本主义社会的某些东西，又会为共产主义社会准备新的东西。过渡时期因此可以说是一个继承时期、发展时期，如果说共产主义社会的第一阶段仍保留着旧社会的痕迹，那么这个过渡时期更是如此。它的各个方面与资本主义社会阶段应该有很大的相似性，生产关系、社会关系，国家的职能、制度，以及人们的价值观念等各个方面应该没有多大变化。

过渡时期强调的恰恰是历史的连续性，它对之后的社会主义建设有重要的启迪意义，那就是切不可人为斩断社会历史发展的连续性，过度追求与之前的资本主义社会的不同，而在社会主义社会的名义下抛弃本来应该继承的东西，盲目追求应该经过长期阶段的发展才能实现的东西。过渡时期的存在，有一个重要的提醒作用，那就是不能操之过急地宣布进入

---

①《列宁选集》第3卷，北京：人民出版社，2012年，第188页。

共产主义社会。这个过渡时期不可能是短暂的，要认识到过渡到共产主义社会的长期性，不能不顾客观历史进程，甚至超越历史阶段。

既然是要向共产主义社会过渡，那这个过渡时期也必须有变化。发生变化的是统治阶级，无产阶级已经成为统治阶级，无产阶级政党成为执政党，这个过渡时期在某种意义上可以说是无产阶级通过政治革命夺取政权、维系政权的时期。

提出这个过渡时期，说明马克思不仅是讲客观历史进程的思想家、哲学家，也是注重激发主体力量发挥的政治家、革命家。共产主义社会是人类社会历史客观发展的必然结果，但不能等着它自然而然地实现，没有革命的主体的积极行动，是根本不可能自然而然地走向共产主义社会的。必须要有这个过渡时期，是因为必须要有致力于推动共产主义社会实现的主体的积极行动，引领并推动着人类社会走向共产主义社会。

马克思主义为什么能够改变世界？不仅因为它揭示了人类社会发展的客观规律，还因为它始终致力于打造能将这一理论付诸实践的政治主体。正是依靠政党、无产阶级、人民群众的力量，一套学说、一种理论产生了改变世界的实践效果。

我们经常会遇到一个表面上似乎存在悖论的问题：我们说马克思主义揭示了人类社会发展的客观规律，揭示了共产主义社会的必然实现，这是不以人的意志为转移的结论，那为什么又要强调革命主体的力量，又要强调阶级意识、阶级行动？既然是客观规律，而且必然会实现，那等着就可以了，又何必要积极行动？

对客观历史规律的“客观性”的过度理解，会让我们以为必须剔除掉“主体”的因素，才能实现真正的客观。实际上，人类社会形态转变的必然性、客观性与革命主体的能动性不存在冲突，客观历史规律建立在对主体能动性的考察上，主体能动性的发挥才会让客观历史规律得以呈现。见物不见人的客观历史规律，不可能是客观的，不可能真正揭示人类社会发展的秘密。

延伸阅读

(1) 马克思:《马克思致约瑟夫·魏德迈》(1852年3月5日),《马克思恩格斯文集》第10卷,北京:人民出版社,2009年。

(2) 恩格斯:《共产主义原理》,《马克思恩格斯文集》第1卷,北京:人民出版社,2009年。

(3) 毛泽东:《论人民民主专政》,《毛泽东选集》第4卷,北京:人民出版社,1991年。

(4) 邓小平:《社会主义与市场经济不存在根本矛盾》,《邓小平文选》第3卷,北京:人民出版社,1993年。

深度思考

(1) 西方资本主义国家在长期发展过程中吸收了大量社会主义的因素,如建立福利制度,这是否意味着资本主义国家在向社会主义社会过渡?

(2) 共产主义社会第一阶段与高级阶段划分的依据是什么?

(3) 如何运用马克思关于人的本质的论述反对见物不见人的客观历史规律论的错误?

Reading & Interpretation
大家写小书·马恩经典著作新读

第五章

劳动解放的“国家”保障：从专政走向消亡

在如何实现劳动解放的问题上，拉萨尔(费迪南多·拉萨尔，德国早期工人运动活动家)派寄希望于“国家帮助”，马克思在回应这个问题的时候谈到了现代国家、国家职能转变的话题，《哥达纲领批判》因此应该被看作关于马克思主义国家理论的重要文献。国家问题一直是马克思主义理论中具有争议性的话题，关于国家的批判，关于无产阶级专政的主张，关于国家的必然消亡等观点，让一些人难以理解其与当今时代的契合性。重读《哥达纲领批判》，有助于我们真正理解马克思主义国家理论的真谛，重新思考国家的未来走向问题。

一、不要滥用“现代国家”

谈论“国家”，必须首先明确的是何种类型的国家，不能认为在不同的历史阶段、不同的社会形态下国家都是同样的存在。拉萨尔派希望借助于“国家帮助”来建立工人生产合作社，建立总劳动的社会主义的组织。马克思提醒的是，得先搞清楚，这时的国家靠得住吗？值得依靠吗？它是封建主义的、专制主义的，怎么能指望它帮助工人建立合作社呢？

马克思看到的是，一个工人纲领竟然对专制国家表示了忠诚，竟然追求资产阶级国家的制度形式。“尽管满是民主的喧嚣，却彻头彻尾地感染了拉萨尔宗派对国家的忠顺信仰，或者说感染了并不比前者好一些的对民主奇迹的信仰……这两种信仰都同样远离社会主义。”[①]哥达纲领的政治要求是民主主义、人民主权的陈词滥调，如普遍权、直接立法、人民权利、

①《马克思恩格斯选集》第3卷，北京：人民出版社，2012年，第376页。

国民军等，这些看似进步的主张在德意志以外的瑞士、美国等国家已经实现，但却没能实现劳动者的利益。社会主义应该在这个基础上往前推进，而不是还要追求达到这样的目标。更奇怪的是，在当时的德国，他们试图在一个以议会形式粉饰门面、混杂着封建残余、同时已经受到资产阶级影响、按官僚制度组成、以警察来保护的军事专制国家里，用合法手段来争取民主共和国的东西。

而这一切都是在主张建立“现代国家”的名义下进行的，马克思因此对何谓现代国家进行了界定。在他看来，现代国家随国境而有差异，本身是一种虚构，不同的文明国度中的不同的国家，形式是纷繁复杂的。但这些多样的形式背后却有某些根本的共同特征，就是它们都建立在“现代社会”的基础上，而现代社会就是存在于一切文明国度中的现代资产阶级社会、资本主义社会（虽然这种社会的资本主义发展程度不同），现代国家实际上就是现代资产阶级社会的国家。相对于封建专制主义的国家（前现代的或古代的国家），它无疑是进步的，但这种进步是有限的。

不去审视现代国家的本质，而是把它当作“精神的、道德的、自由的基础”的化身，当作永恒不变的代表着某种精神的东西，看成是可以脱离现实社会的独立存在物，由于分工而同社会分离的独特机体，注定是一种假想。寄希望于这样的国家，注定实现不了劳动者阶级的主张和目的。因此，必须要有改造现代国家的思维，不能不经改造、不求改造，空喊民主国家、民主主权，在维系这样的现代国家制度上争取劳动的解放。

也就是说，马克思所讲的国家是有特定所指的，他们对国家的批判是针对特定阶段的国家的，更多针对的是当时的资产阶级社会的国家（现代国家），当然也包括专制主义、封建主义的国家（古代国家）。我们容易犯的一个错误就是，把马克思对特定类型的国家的批判套用到一切社会阶段的国家的批判中，把“国家特殊”理论变成“国家一般”理论，把马克思、恩格斯当时对现代国家的批判直接套用在对今天的国家的批判上，得出马克思主义否定国家作用，进而得出今天强调国家的作用就是背离了马克思、恩格斯的结论。

知识链接

★ 何谓“国家”？ ★

恩格斯在《家庭、私有制和国家的起源》中对“国家”作了定义：“国家是社会在一定发展阶段上的产物，国家是承认：这个社会陷入了不可解决的自我矛盾，分裂为不可调和的对立面而又无力摆脱这些对立面。而为了使这些对立面，这些经济利益互相冲突的阶级，不致在无谓的斗争中把自己和社会消灭，就需要有一种表面上凌驾于社会之上的力量，这种力量应当缓和冲突，把冲突保持在‘秩序’的范围以内；这种从社会中产生但又自居于社会之上并且日益同社会相异化的力量，就是国家。”[①]简言之，国家是阶级矛盾不可调和的产物，本质上是统治阶级用以管理社会的工具。因此，它是一个历史性的存在，会随着私有制和阶级的消灭而自然消亡。

①《马克思恩格斯文集》第4卷，北京：人民出版社，2009年，第189页。

二、作为国家职能的“无产阶级的革命专政”

随着社会形态的变化，国家制度、国家职能进而国家本身也会发生变化，而在从资本主义社会走向共产主义社会的革命转变时期，国家的职能是“无产阶级的革命专政”。谈到无产阶级专政，它无疑也是很容易带来争议、受到误解的理论。一些人往往停留在字面上理解，将其与民主、法治对立起来，更有甚者认为，专政一定会走向专制主义、极权主义。

一个追求大多数人的自由而全面发展、追求人的解放的哲学家、思想家，为什么会提出专政的理论呢？难道马克思意识不到专政可能会带来专制、极权吗？马克思当然会意识到，那为什么他还要如此主张呢？

马克思、恩格斯指出，提出这一主张恰恰是他们摆脱空想社会主义，与无政府主义划清界限的表现。如果没有通过无产阶级专政，没有强有力的手段，根本无法完成无产阶级的使命。

在马克思看来，国家的存在本身就表明着一部分人对另一部分人的统治，区别只是在于是少数人对多数人（资产阶级社会国家）还是多数人对少数人的统治（过渡时期、共产主义社会第一阶段）。无产阶级要想完成自己的使命，必须借助于国家，必须掌握国家政权，而不能停留在自由的人民国家的呼吁和口号中，陷入理想主义、空想主义中。无产阶级专政概念的提出，更能看出马克思不仅作为思想家还是作为革命家的角色。一个思想家尽可能设想美好的理论建构，一个革命家就必须考虑这种理论如何成为现实。大谈特谈无产阶级解放、人类解放，如果没有强有力的手段，是不会产生实际效果的。

我们需要明确，无产阶级的革命专政属于从资本主义社会向共产主义社会第一阶段过渡时期的国家制度。马克思批判哥达纲领既不谈无产阶级的革命专政，也不谈未来共产主义社会的国家制度，“既不谈”“也不谈”的表述已经说明，无产阶级的革命专政不是共产主义社会的国家制度，不是第一阶段（社会主义社会）也不是高级阶段的国家制度。可以说，无产阶级专政只是过渡时期的国家制度，是特定历史时期必须采取的手段，是为了向共产主义社会过渡不得已采取的强有力的手段。

这种专政，实际上延续的还是资本主义国家的职能，国家主要发挥的还是阶级统治的功能，只不过已经从资产阶级专政进入到无产阶级专政。作为过渡时期的国家职能，随着人类社会进入到社会主义阶段就应该发生变化，社会主义国家就不应该再讲“革命专政”。

专政是在阶级对立、阶级压迫程度深重的情况下必须采取的没有办法的办法、迫不得已的办法，不能套用到社会主义社会的国家建设上，不能过度强调专政的功能，为不建立法治、不依法治国，搞个人崇拜、凭领导人意志治理国家作注脚。

其实只要存在国家，就必然有专政的一面，专政是马克思主义以冷峻的、客观的态度审视人类社会的表现，当很多政治家讲自由、民主、法治而不讲专政的时候，其实是理论不彻底的表现，是没有客观审视既有国家的表现。专政确实是当今社会所有国家都实际存在的职能，这是不容否定的。不是说不讲专政，现有的国家就不存在这种功能，只要存在国家，就有专政功能。只是，在特定的历史阶段，专政的功能会更加突出，而今天社会主义国家的专政功能的逐渐弱化或消解，恰恰是人类社会进步的标志。暂时的专政是为了走向不专政，实现长期的不专政，专政只是工具，不能当作永恒的马克思主义对国家的主张。

知识链接 ………………………………………………………………

★ 马克思、恩格斯怎么看"无产阶级专政"？ ★

在《共产党宣言》中，马克思、恩格斯指出，"工人革命的第一步就是使无产阶级上升为统治阶级，争得民主"[①]。在《1848年至1850年的法兰西阶级斗争》中，马克思第一次使用"无产阶级专政"的概念，指出革命的社会主义就是宣布不断革命，就是无产阶级的阶级专政，它是过渡阶段用以消灭一切阶级差别，以及相应的生产关系、社会关系和观念所必须采取的手段。

三、在何种意义上谈"国家的消亡"？

无产阶级的革命专政只是从资产阶级社会向共产主义社会过渡时期的国家职能，那么，进入共产主义社会，国家制度、国家职能是怎样的呢？马克思提出了这个问题："在共产主义社会中国家制度会发生怎样的变化呢？换句话说，那时有哪些同现在的国家职能相类似的社会职能保留下来呢？这个问题只能科学地回答；否则，即使你把'人民'和'国家'这两个词

---

①《马克思恩格斯文集》第2卷，北京：人民出版社，2009年，第52页。

联接一千次，也丝毫不会对这个问题的解决有所帮助。”[1]

可以明显看出，在马克思看来，在共产主义社会，国家还是存在的，某些现代国家的社会职能还要保留下来，只是国家制度和国家职能发生变化，有新的内容、新的方面。但问题也来了，国家将在共产主义社会消亡，这也是马克思、恩格斯众所周知的观点。为什么会有这个看似矛盾的问题？马克思、恩格斯作为严谨的思想家、理论家，不应该犯如此错误，不应该在不同的文本中有如此不同的基本主张。

答案还是在于共产主义社会有第一阶段和高级阶段之分。在第一阶段，必然还是存在国家，只是与过渡时期、与资产阶级社会国家的最根本职能是阶级专政或阶级统治（政治职能）不同，这个阶段国家最重要的职能是社会管理（社会职能），由于阶级依然存在，国家的阶级统治的功能也还会存在，只是不再作为主要的、占据第一位的国家职能。可以说，在革命转变时期或过渡时期，国家职能的变化不是质的变化，主要的、占据第一位的国家职能是阶级统治，不同点在于行使国家职能的阶级主体发生变化；而在共产主义社会的第一阶段，国家职能发生了质的变化，主要的职能已经从阶级统治走向社会管理。

到高级阶段，国家彻底消亡，也就是伴随着阶级的消亡，那个时候国家阶级统治的职能也就根本不存在了，而只剩下国家的社会管理职能，对人的统治彻底走向了对物的生产的管理，也正是从这个意义上说，国家消亡了，它已经同迄今为

①《马克思恩格斯选集》第3卷，北京：人民出版社，2012年，第373页。

止一切社会的国家完全不同了。

关于国家消亡有争议的问题是，那个时候社会依然有矛盾、有冲突、有犯罪，没有国家怎么可能？其实，马克思从来没有说过阶级消亡后的社会就是尽善尽美的社会，不存在阶级冲突，不代表就没有社会的冲突、个性之间的冲突等，这个时候人类社会还是存在承担社会管理职能的公共机构的，但它不是现在意义上的国家，它完全可以用另外的词来代替。正如恩格斯所指出的："我们建议把'国家'一词全部改成'共同体'[Gemeinwesen]，这是一个很好的古德文词，相当于法文的'公社'"[①]。这也是马克思多次提出的自由人的联合体、真正的共同体，一个真正实现大多数人的自由的，各尽所能、按需分配的共同体。

国家的消亡，当然不是一部分人想让它消亡它就会消亡的，它是客观的历史进程，是人类社会不断进步的结果；它是漫长的过程，不是在短时间就能实现的结果。在马克思看来，一个社会的政治法律上层建筑是与特定的经济秩序以及文化发展的客观条件相适应的，没有生产力的发展、生产关系的变革、社会条件的变化，没有社会的根本变革，没有社会的长足进步，是不可能打破旧的国家机器、国家制度、国家职能，人为将其消亡的。经济社会条件不具备，就主张打碎国家机器，否定法律规范，就会陷入无政府主义的窠臼中。

国家的消亡既是客观的历史进程，也要发挥政治主体的积极作用。从根本上而言，国家消亡的过程，就是一个外在于

①《马克思恩格斯选集》第3卷，北京：人民出版社，2012年，第349页。

社会的、强制性的政治力量，变成服务于社会、服务于大多数人的自由的“公益”机构。马克思指出，“自由就在于把国家由一个高踞社会之上的机关变成完全服从这个社会的机关”①，恩格斯也指出，“一切自由的首要条件：一切官吏对自己的一切职务活动都应当在普通法庭面前遵照普通法向每一个公民负责”②。马克思、恩格斯实际上已经指明了人类社会积极努力的方向，也就是我们所熟知的要制约规范国家权力，防止国家力量任性对待公民，不断彰显国家的社会管理职能。

可以说，国家消亡的过程，就是国家的阶级统治功能（政治功能、政治属性）不断弱化、社会管理职能（社会功能、社会属性）不断强化的过程。只要我们看到这个趋势，看到今天众多的国家越来越多地发挥社会管理、公共管理的职能，就应该相信“国家消亡论”的科学性，就应该相信“国家的消亡”是人类社会的未来。

延伸阅读

（1）马克思：《法兰西内战》，《马克思恩格斯选集》第3卷，北京：人民出版社，2012年。

（2）毛泽东：《论人民民主专政》，《毛泽东选集》第4卷，北京：人民出版社，1991年。

（3）李惠斌：《马克思〈法兰西内战〉研究读本》，北京：中央编译出版社，2013年。

---

①《马克思恩格斯选集》第3卷，北京：人民出版社，2012年，第372页。

②《马克思恩格斯选集》第3卷，北京：人民出版社，2012年，第348页。

深度思考

（1）如何理解统治、管理与治理这三个概念的差别？

（2）如何理解“国家消亡论”的当代价值？

（3）在现时代如何更好发挥国家权力的作用？

Reading & Interpretation

大家写小书·马恩经典著作新读

结　语

劳动解放的前景

关乎劳动的政治哲学，落脚点应该是劳动的解放，是劳动主体或劳动者的解放。《哥达纲领批判》的最终目标正是为了让劳动者制定正确的纲领，作出正确的主张，采取正确的行动，实现自身的解放。

无论是讲劳动在财富生产中的地位，还是讲劳动所得的公平分配，讲从按劳分配走向按需分配，还是讲社会形态的演变、共产主义社会的阶段划分，还是讲国家职能的转变、国家的未来走向，马克思始终都没有离开劳动解放这个主题，虽然他不是很喜欢劳动解放这样的说法。

从这个文本中，我们得到强化的观念是，马克思主义是关于社会革命的理论，是关于资本批判的理论，但归根结底是关于劳动的理论，是关于人的劳动解放，因而它是关于人的解放、人类的解放的理论。

无产阶级的解放为什么不只是某个阶级的解放，不是人类社会中某个群体的解放，而是人的解放、人类的解放？绝对不仅仅是因为无产阶级人多，代表着大多数人，代表着社会的“弱势群体”，归根结底是因为无产阶级作为“劳动的人格化”，它代表的是劳动，是活劳动，是活生生的劳动。劳动的解放当然就是人的解放、就是人类的解放。

与无产阶级相对应，资产阶级是“资本的人格化”，它代表的是资本，是死劳动，是积累起来的劳动。无产阶级的问题归根结底是人的活劳动被作为死劳动的资本所支配的问题，无产阶级的事业归根结底就是人的活劳动从死劳动的支配中解放出来的过程。

只要是人，都应该从事生产、从事劳动。但生产、劳动是繁重的、艰辛的、机械的甚至是危险的，因此在人类社会的历史进程中，一部分人不去从事劳动但却享受另一部分人劳动的成果，一部分人不愿意从事劳动但为了谋生不得不去从事劳动……

人类社会的进步，在劳动问题上的努力方向有两个。

一个是所有社会成员都必须从事劳动，不劳动者不得食，多劳多得少劳少得，任何社会成员都不能剥削其他社会成员的劳动。这个方向要解决的问题是人与人的生产关系、阶级关系，是资本和劳动、资产阶级和无产阶级的关系，是尽可能减少处在生产关系两端位置的社会成员的对立，让处在每一端的社会成员都得其应得，受到同样的尊重。

另一个是改变劳动本身，让劳动活动不再是繁重的、艰辛的、机械的甚至是危险的，让劳动不再是人们被逼无奈的选择，而变成舒适的、轻松的、充满愉悦的活动，作为人的生活需要甚至是第一需要的活动。劳动不再作为人的生活的对立面，而是生活的组成部分。

回顾历史的进程，无论从哪一个方面来说，人类社会都取得了长足的进步。就此而言，马克思、恩格斯劳动解放的社会理想，是值得追求的，也是一定能实现的。今天的我们需要继续努力，依循客观历史规律稳步推进，最终实现劳动的解放、人的解放。

Reading & Interpretation
大家写小书·马恩经典著作新读

附　录

《哥达纲领批判》精彩段落

◎ 劳动不是一切财富的源泉。自然界同劳动一样也是使用价值(而物质财富就是由使用价值构成的!)的源泉,劳动本身不过是一种自然力即人的劳动力的表现。

◎ 什么是"公平的"分配呢?难道资产者不是断言今天的分配是"公平的"吗?难道它事实上不是在现今的生产方式基础上唯一"公平的"分配吗?难道经济关系是由法的概念来调节,而不是相反,从经济关系中产生出法的关系吗?难道各种社会主义宗派分子关于"公平的"分配不是也有各种极不相同的观念吗?

◎ 在一个集体的、以生产资料公有为基础的社会中,生产者不交换自己的产品;用在产品上的劳动,在这里也不表现为这些产品的价值,不表现为这些产品所具有的某种物的属性,因为这时,同资本主义社会相反,个人的劳动不再经过迂回曲折的道路,而是直接作为总劳动的组成部分存在着。

◎ 我们这里所说的是这样的共产主义社会,它不是在它自身基础上已经发展了的,恰好相反,是刚刚从资本主义社会中产生出来的,因此它在各方面,在经济、道德和精神方面都还带着它脱胎出来的那个旧社会的痕迹。

◎ 这种平等的权利,对不同等的劳动来说是不平等的权利。它不承认任何阶级差别,因为每个人都像其他人一样只是劳动者;但是它默认,劳动者的不同等的个人天赋,从而不同等的工作能力,是天然特权。所以就它的内容来讲,它像一切权利一样是一种不平等的权利。

◎ 在共产主义社会高级阶段,在迫使个人奴隶般地服从分工的情形已经消失,从而脑力劳动和体力劳动的对立也随之消失之后；在劳动已经不仅仅是谋生的手段，而且本身成了生活的第一需要之后；在随着个人的全面发展，他们的生产力也增长起来，而集体财富的一切源泉都充分涌流之后，——只有在那个时候，才能完全超出资产阶级权利的狭隘眼界，社会才能在自己的旗帜上写上：各尽所能，按需分配！

◎ 消费资料的任何一种分配，都不过是生产条件本身分配的结果；而生产条件的分配，则表现生产方式本身的性质。例如，资本主义生产方式的基础是：生产的物质条件以资本和地产的形式掌握在非劳动者手中，而人民大众所有的只是生产的人身条件，即劳动力。既然生产的要素是这样分配的，那么自然就产生现在这样的消费资料的分配。如果生产的物质条件是劳动者自己的集体财产，那么同样要产生一种和现在不同的消费资料的分配。

◎ 自由就在于把国家由一个高踞社会之上的机关变成完全服从这个社会的机关；而且就在今天，各种国家形式比较自由或比较不自由，也取决于这些国家形式把“国家的自由”限制到什么程度。

◎ 不同的文明国度中的不同的国家，不管它们的形式如何纷繁，却有一个共同点：它们都建立在现代资产阶级社会的基础上，只是这种社会的资本主义发展程度不同罢了。所以，它们具有某些根本的共同特征。在这个意义上可以谈“现代国家制度”，而未来就不同了，到那时，“现代国家制度”现在的根基即资产阶级社会已经消亡了。

◎ 在共产主义社会中国家制度会发生怎样的变化呢？换句话说，那时有哪些同现在的国家职能相类似的社会职能保留下来呢？这个问题只能科学地回答；否则，即使你把“人民”和“国家”这两个词联接一千次，也丝毫不会对这个问题的解决有所帮助。

◎ 在资本主义社会和共产主义社会之间，有一个从前者变为后者的革命转变时期。同这个时期相适应的也有一个政治上的过渡时期，这个时期的国家只能是无产阶级的革命专政。

◎ 资产阶级的“信仰自由”不过是容忍各种各样的宗教信仰自由而已，工人党则力求把信仰从宗教的妖术中解放出来。

（摘自《哥达纲领批判》，《马克思恩格斯文集》第3卷，北京：人民出版社，2009年，第419—450页）

后　记

没有对文本的深度耕犁，在学术这条道路上很难走下去，走得远，走得好。所以，我常常告诉自己，也不厌其烦地告诉我的学生，要与经典为伴，要学会读透一本难以读懂的著作，学会根据一篇经典文献写一篇论文甚至写一本书。

暗自庆幸的是，阅读马克思主义经典作家的经典文本，先后写作《经典悦读系列丛书》的10本小册子，再加上之后写的《<共产党宣言>的新时代阐释》，让我打牢了学术地基，在谈论一些学术问题时有了理论支援，思辨、深刻、透彻了很多，还能时不时地给人一种“不明觉厉”的感觉。

但我逐渐地改变了想法，我不能总是基于文本写作，因为我越来越认为，只有回答时代问题的学术才是真学术，才可以让学术走出学院派的小圈子，走向社会大众，所以我尝试写了几本以现实问题为导向的作品，并告诉自己已经过了基于文本而写作的阶段。但写作的艰辛和灵感的枯竭给我敲响了警钟，我读的经典还是不够，还得继续耕犁文本，继续打牢学术地基。我还需要在阅读经典文本时感受到治学的愉悦，获得做学问的精神动力。

对阅读文本、解读文本的这种遏制不住的冲动，让我不肯放弃对经典文本进行解读的任何机会，一碰上邀约，我都会欣然应允。在重新解读毛泽东的《反对本本主义》的小册子完成之后，我又非常乐意地接受了这套丛书的写作任务，自愿选择的是以前想写但没有写出来的《哥达纲领批判》。

《哥达纲领批判》在马克思、恩格斯的作品中的地位自然不如《德意志意识形态》《共产党宣言》《资本论》那样高，但它有其他作品不可替代的独特性，尤其是当我发现这其中存在着以劳动问题为主线的涉及公平正义、共产主义社会、国家理论的政治哲学体系时，我喜出望外，终于找到了写作的整体思路。

我要保证对每部经典的解读都能独立于原著而单独成书，有一个一以贯之的主线，能够系统地回答一个重大理论和基本现实问题，能在每章乃至每节都提出一些适应我们今天生活实际的新观点，能让文风摆脱经典作家写作时的背景而浸染我们这个时代的气息。

希望这本解读《哥达纲领批判》的小册子，也达到了这个要求。当然，达到与否，还要由亲爱的读者来定夺。

陈培永

2019年10月7日于北大燕北园